亦

舒

作

品

华语世界深具影响力作家

亦舒 作品 25

红楼梦里人

CTS
湖南文艺出版社
HUNAN LITERATURE AND ART PUBLISHING HOUSE

博集天卷
CS-BOOKY

作品

贰

拾

伍

号

壹

江湖客

+

同样一件事，他人做了出来，罪无可恕，自己的错误，总有不得已之处。

公子

茜纱窗下，公子多情。

这是指贾宝玉。一副悠闲的、骄纵的、矜贵的形象跃于纸上，差些一句"何不食肉糜"就要问出口的样子，至大的嗜好是与不幸沦落在伊身边的薄命女儿玩玩耍说说笑。

他唯一的优点也许是慷慨，虽然住在祖屋里，吃的是大锅饭，但能力范围以内的东西，包括他丰富的感情，都乐意舍予。

公子，一般指出身煊赫有家底的年轻人，傍友为着使老板更加开心，有时戏称太子，纰漏就是出在这里，登基之前，他始终要听令于父皇，或是弄权的太后，他自然也有他的烦恼。

聪明的现代女性渐渐看通这套道理，笑曰，她们需要的，只是知己。

本来一向与公子哥儿最接近，最容易发生亲密关系的是美丽浪漫的女演员，但本市最出名的三位电影女星统统名花有主，对象全是年纪相仿、有才华、有志气的专业人士。

经济与精神独立的女性才有资格真正放胆选择伴侣吧，公子也好，普通人也好，都不感觉到压力。

永远记得张曼玉说得好："你有钱？我也有呀。"

肉麻

宝玉这个人，以香菱的话判断他，错不到什么地方去——"怪道人人说你，惯会鬼鬼祟祟使人肉麻的事。"

看到宝兄种种所为，虽不算大奸大恶，总使人身上起痱子疙瘩：抢吃丫头嘴上的胭脂、捧戏子、勾优伶、不思读书，一日到夜闲闲散散。男男女女只要略平头整脸，他必不放过，定要结交一番，私换表记，又专门在女孩子裙子上首饰上做学问，先服侍平儿整妆，后为香菱换裙，又哭晴雯、祭金钏。这等事由一个男人做来，好不肉酸。又一日到夜长嗟短叹，无端悲秋。

他老子骂得好："我看你脸上一团思欲愁闷气色，这会子又咳声叹气，你那些还不足，还不自在？"

嫁这样的男人，有什么味道？林黛玉要是能到二十岁，心态略为成熟，定便将这玉兄丢在脑后。

各得各的

宝玉有一个宏志，他死的时候，要大观园所有女子哭他，众女的眼泪贯汇成河，把他漂到一个没人知的地方，他心满意足了。

后来见了那个在地上画"蔷"字的，才知也有人不买他的账——"各人各得眼泪罢了！"

这话竟是真的，什么都有因果，傻小子别看他平时愣愣的，也很会使坏，摆布得了他的，是他喜欢的人，别人偶尔要哄他一次，好话说了两车，他还不理呢！

笨人尚且若此，由此推而广之，真正是离合岂无因！

故此像咱们这些人，只好认了命，但求旁人别来把我当冤大头，也就心满意足，这种万变不出其宗，男女之事。

婢仆

宝玉名下的婢女：大丫鬟有袭人、晴雯、麝月、碧痕、秋纹，二帮角色包括茜雪、绮霞，再次一等的有四儿、小红、佳蕙、坠儿、定儿、柳五儿、春燕。

身份越低，名字越是巧妙别致动听。

宝玉的乳母是李嬷嬷，老仆是李贵。

书童有茗烟、扫红、锄药、墨雨、双瑞、寿儿，外出时随从有王荣、张若锦、赵亦华、钱升、伴鹤。

这廿余三十人都归宝玉一人使用，薪水食宿由荣国府支付。谁负责调整人工及应付通货膨胀？自然是当家的二奶奶王熙凤了。

一个人如何用廿七个婢仆？又无公事可办，成日价不过吃吃喝喝，梳头穿衣、吟诗作对、调情嬉戏，真考功夫。仆人宿舍规模之大，支出之庞大，亦可见一斑。

这种场面开销搬到今日，白金汉宫自叹弗如。

大家没事做，便躲在深深的庭园里拌嘴、打架、偷情，再闲了，便做双鞋子、下一局棋，把去年梅花瓣上的雪扫下来装在一只鬼脸青的瓮内埋在梨花树下心血来潮时取出泡茶吃。

江湖客

　　江湖客是自古有的。

　　七十八回，宝玉在他父亲跟前作《姽婳词》，一班幕友，才听了论题目，就轰然道："是老手妙法！"宝玉又念了数句，众人又说："第三句古朴老健，极妙，这四句平叙出，也最得体。"跟着又来两句，这些人又别出心裁地叫出来："妙极，用字用句皆入神化了。"再两句，他们索性拍手笑叹："益发化出来了！"

　　这一干清客侧耳聆听下文，拍案叫绝："好，且通句精的，也不板，布置叙事词藻无不尽美，铺设得委婉。"

最后宝玉念毕，众人大赞不止，都从头看了一遍。

怡红公子的作品水平究竟如何，似乎已经不重要了。

唉，还是听听黛玉对此人的评论吧，恐怕比较中肯，她取笑他杜撰的《芙蓉女儿诔》："长篇大论，不知说的是什么，只听见中间两句，什么'红绡帐里，公子多情；黄土陇中，女儿薄命'，这一联意思却好。"

但是她替他改为"茜纱窗下，公子多情"，因为红绡帐未免熟滥，由此已可见宝玉才情之真实情况。江湖客的评论，听在耳中，自然受用，但如果相信，未免天真过度。

三角恋

整整八十回《红楼梦》，最不好看的便是像"这里林黛玉越发气闷，只向窗前流泪，没两盏茶的工夫，宝玉仍来了，林黛玉见了，越发抽抽噎噎的哭个不住，宝玉见了这样，知难挽回，打迭起千百样的款语温言来劝慰"这种描述。

又最恨林黛玉动不动说"你又来做什么，死活凭我去吧"这样无聊的话，非得同自己说一百次：原谅她，她才十三四岁，那才按捺下去。

许这种小儿女态已与时代脱节，所以觉得不好看，时下年轻人在一起走，也很少如此哭哭啼啼，扭扭捏捏了吧。

成本《石头记》，一切都超脱时空，历久常新，独独这段三角恋爱不合潮流。

冷 笑

重温《红楼梦》，真正被林黛玉的频频冷笑弄得吃勿消，真想做一个记录，查清楚她到底在八十回中冷笑过几次，为什么冷笑。

信手拈来，二十九回，当着贾母与众人的脸，林黛玉冷笑道："他（薛宝钗）在别的上还有限，惟有这些人带的东西上越发留心。"宝钗听说，便回头装没听见。

才到第三十一回，林黛玉又来冷笑道："他（史湘云）不会说话，他的金麒麟会说话。"薛宝钗抿嘴一笑。

凡此不知多少回。

而薛宝钗总是一笑置之，或是装没事人，从不与黛玉一般见识，涵养教养之好，可敬可畏。

说实话，真希望有宝钗这样性情的上司，姊妹，妯娌，朋友或同事，什么都多多忍耐，包涵包涵，以大局为重。

率意而为有谁不会，开快车只需猛踩油门，又不用讲天才讲艺术。

与林黛玉这种眼睛揉不进一粒沙的女子长期相处，精神是非常痛苦的。可以想象她少女时期的真与纯消失之后，取而代之的尖酸与苦涩是什么相貌，幸亏十五岁夭折了，不然直冷笑到四十岁，不知是啥局面。

贼喊捉贼

贼喊捉贼，是相当不可爱的行为。

举个例子，三十四回，宝玉挨了打，躺着半梦半醒，觉有人推他，睁眼一看，不是别人，却是林黛玉，两个眼睛肿得桃儿一般，正在悲泣。

半晌，王熙凤来了，黛玉怕她取笑，三步两步，转过床后，从后院避出去。

才第二日罢了，黛玉看见宝钗无精打采，眼上有哭泣之状，大非往日可比，便在后面笑道："姐姐也自保重些儿，就是哭两缸眼泪，也医不好棒疮。"

只准她哭，不许人哭，不知是有什么道理。

她哭了怕人看见取笑，偏偏看见别人哭泣又去取笑，更不知是什么道理。

同样一件事，他人做了出来，罪无可恕，自己的错误，总有不得已之处。

不知薛宝钗如何对答？话说，宝钗分明听见林黛玉刻薄她，并不回头，一径去了。

这种例子，数之不尽，看得多了，读者不禁摇头叹息，怪不得整个大观园里，与黛玉知己者只得宝玉紫鹃两人。

性格上实在有太大的缺憾。

一斛珠

明皇独宠杨玉环，对其余的妃嫔，不甚理睬。一日，忽然想起梅妃这个人，略有歉意，差人送她一斛珍珠。

这梅妃也奇怪，她把珍珠退回明皇处，并且写一首诗："长门尽日无梳洗，何必珍珠慰寂寥"，显然是赌气了，趁机发牢骚。

这当然不是正史，此事并无下文，可想而知，明皇碰了一鼻子的灰，以后必定更加退避三舍。

啊，勿出怨言，一斛珍珠而已，喜欢，便收下，不喜欢，丢到一旁，或是送人，都是好方法，何必气愤。失宠已是事实，技不如人，要不，从头来过，要不，不愁吃喝地懒懒过下半辈子，对老板冷嘲热讽，诸多抱怨，实非明智。

《红楼梦》里黛玉，也是这种性格，宫中送礼来，她问："大家都有呢？还是只我一人？"众人都有，她就不稀罕，但嘴里说出，便成小气。或说黛玉心直口快，可是，成年人怎可把直爽建筑在别人难堪上，性子率直，也不可作为一言不合人打出手的借口。

像梅妃这种性格，堪称看勿穿，放不下。

各位，做人要做明白人。

藏奸？

一般人评宝钗奸，根据这个：

金钏儿投了井，王夫人垂泪，宝钗安慰道："姨娘是慈善人，固然是这么想，据我看来，他并不是赌气投井，多半是他下去住着，或是在井跟前憨顽，失了脚掉下去的……岂有这样大气的理，纵有这样大气，也不过是个糊涂人。"

于是宝钗成了天下第一恶人，人命关天，居然如此轻描淡写一笔抹杀，若无其事，奉承起王夫人来。

看看，诸位，远在二百年前，社会风气不一样，丫鬟贱过泥，算什么事？况且死人已经死了，谁难道还为金钏儿出气不成？

长辈（是母亲的姐姐，未来的婆婆）垂泪，自然尽力劝慰，不然还指着骂乎？

或说林妹妹断不做这样的事。然，王夫人又岂会对着小姑的女儿垂泪忏悔，林妹妹没有机会。

堆 笑

第七回："只见薛宝钗伏在小炕儿上，正描花样子呢。见她进来，宝钗便放下笔，转过身来，满面堆笑，'让周姐姐坐。'周瑞家的，也忙陪笑。"

宝钗的功夫，说到尽，不外是"满面堆笑"这四字真言。真正佩服，见到周瑞家的这一号人物，都如此识做，园中除了她，还有谁能这样。

太令人舒服。

友说："如今谁谁谁也很会得做人，相识遍天下，总有宝钗水平吧！"哪里，这些不过略攀得上袭人的水平，浮面得很。

讲到学问风度涵养器量得体，宝钗也算得空前绝后，当然得尽人心。

也愿有这个随时随地满脸堆笑的本事。

写文章

宝钗最爱讲道理，怎么样做文章，也有一套，且听她说来："诗题也不要过于新巧了，你看古人诗中，那些刁钻古怪的题目和那些极险的韵脚了？若题过于新巧，韵过于险，再不得有好诗，终是小家气，诗固然怕说熟话，更不可过于求生，只要头一件立意清新，自然措词就不俗了。"

这位姐姐，她那套理论，恐怕伤透专业作者自尊心。

一，不可刻意求工，免得题目与文字都矫揉造作。

二，不可老生常谈，陈腔滥调，惹读者厌弃。

照她的说法，应写身边事物，但采取不同观点角度，才叫立意清新。

怎么写？都把笔甩掉算了。

天天交稿，比不得茶余饭后偶然咏一咏诗：没有灵感，明天再来。

他们的雅兴，焉能不羡煞旁人：咏白海棠，起海棠诗社，咏菊，赋事，坐在藕香榭，嗅着桂花香，写出"偷来梨蕊三分白，借得梅花一缕魂"这样风流别致的句子来。

不但天生才情，更拥有充裕的时间，且又不靠这个生活，写起来，当然如黛玉般，"提笔一挥而就，掷与众人"。后人看到这种境界，简直神往，思潮半晌回不到斗室中的写字台前。

强 者

王熙凤说的："普天下的人，我不笑话就罢了，竟叫这小孩子笑话我不成？"

这般的豪气出自廿岁左右旳女子，令人钦佩，你把《红楼梦》里的女子任我挑，翻来覆去，还是选王熙凤。

这人非常现代，肩膊承得住担子，从不抱怨，亦不解释，我行我素，性格突出，异常的可爱。

旧社会中，女子任人鱼肉，她却做得到"人若犯我，我必犯人"。

轰轰烈烈的大晴天，脸一拉下来，马上是大暴雨，雷电交加，敢作敢为。

委屈她是有的，但在八十回的《红楼梦》中，她一贯扮演着强者的角色，故此不得人同情。

做女人

　　我真是喜欢王熙凤，喜欢她实实在在的目中无人，口出豪语，也只有她配。

　　譬如她说："普天下的人，我不笑话就罢了，竟叫这小孩子笑话我不成？"

　　说这话的时候，自然大方，笑口盈盈，如话家常，泼是泼一点，凭她那本事，谁还说不好？

　　简直太坦白可爱了。

　　这样的一个人，嫁给贾琏，也算是可惜得很，廿岁左右女子，就这么敢作敢为，难怪我母亲常常说这年代的人是越来越退步了，廿余岁还只想穿个迷你裙充十六岁，疯癫之余，以痴笑声取胜。

当然人人似王熙凤，世界也未免太单调了一点，不过也不必太失礼了才好。

王熙凤学不了，学学袭人也是可以的，做个天下第一贤良人，有什么不妥？

聪愚之别

凤姐儿倒也并不是一味好强的人，人家收放自如。

生日那日抓到贾琏同"淫妇"胡混，大跳大叫，又打了平儿，第二日，平儿还得上来给凤姐磕头，说："奶奶的千秋，我惹了奶奶生气，是我该死。"凤姐已经愧悔，无故给平儿没脸，今反见她如此，又是惭愧，又是心酸，一把拉起，落下泪来。

这还不够，过几日李纨替平儿说公道话，凤姐更说："早知道，便有鬼拉着我的手打他，我也不打了。平姑娘，过来，我当着大奶奶、姑娘们替你赔个不是，担待我酒后无德罢。"

只有聪明人才能这样认错。

君不见多少人在自己额角上贴一个"忠"字，与关公拜把子，但凡别人所作所为，皆错错错，莫莫莫，伊们自家却要流芳百世。

正愚夫愚妇。

苦尤娘

苦尤娘赚入大观园——谁告的密？

园中九停人知道此事，装作不知，王熙凤如何得知？

平儿说听旺儿说的。

平儿为什么要说与琏二奶奶知道？忠心？还是害怕地位更加不如？（"妹妹只管受礼，他原是咱们的丫头，以后快别如此。"）

凤姐为何治死二姐？吃醋？抑或反击战？谁拉拢琏二爷与二姐？贾珍尤氏贾蓉。这三人平时与凤姐如何亲密？

是大哥哥与蓉儿呢，一转背如何待她？为什么？凤姐儿端不是就此倒下去的人物，总得还以颜色，否则怎么抓权呢，多少旁人等着她出丑呢，她并没朋友（都不管此事），凤姐儿二十出头的人，骑在虎背上，岂止呷醋这么简单？

叫别人生了儿子，她抓的权就不牢靠矣，以后几十年怎么过？

别忘了她是王夫人选定的接班人，政治政治政治。

排场

五十一回，袭人母亲病，伊回家去，临行前被二奶奶唤去看看衣服车马仆从房屋铺盖等物可还齐全，一一检点，色色亲嘱。

凤姐："这三件衣裳，都是太太赏的，倒是好的，只这裙子太素了些，如今穿着也冷，你该穿件大毛的。"

如写现代《红楼梦》，可改作如下："这三件衣裳，都是太太，叫乔哀斯送来的吧？错是不错，不过这件貂皮颜色不时兴，今儿天气这么冷，实应该穿件银狐。"

又看包袱，只得一个弹墨花绫水红绸里的夹包袱，凤姐又命平儿把那一个玉色绸里的哆啰呢包袱拿出来。

把它现代化，可成为：又看用什么行李，只得一只新秀丽，凤姐便命心腹把那一套路易·威登的行李箱子取出来……

凤姐，早已懂得用排场压众人。

反串

湘云一直爱做男装打扮。

三十一回宝钗笑道："可记得旧年三四月里，他在这里住着，把宝兄弟的袍穿上，靴子也穿上，额子也勒上，猛一瞧倒像是宝兄弟，就是多两个坠子，哄得老太太只是叫'宝玉你过来'……后来大家忍不住笑了，老太太才笑了，说：倒扮上小子好看了。"

正像如今一些女孩子，专门爱穿牛仔裤白衬衫，靴子藏袜筒里，另有一派野性的风流，非常吸引，配上蓬松头发，迷蒙大眼睛，肿嘴唇，兔儿牙，不知爱杀多少男人。

而贾母也承认湘云扮上小子好看了。这种装扮适合粗线条女孩，林黛玉型端不可尝试。

缺陷美

林黛玉笑道："偏咬舌子爱说话，连这二哥哥也叫不出来，只是爱哥哥爱哥哥的。"

脂批曰：真正美人，方有一个陋处，如太真之肥，飞燕之瘦，西子之病，施于别个，不美矣。

今以咬舌两字，加之湘云，不独不见其陋，且更觉轻俏娇美，俨然一娇憨湘云立于纸上，掩书合眼思之，其爱厄娇音如入耳，然后将满纸莺啼燕语之字样填粪窖可也。

"咬舌子"是北方话，若如上海人形容的大舌头，那还可以容忍，当年何莉莉初抵邵氏报到，捧着西瓜，大着舌头说话，既腻又嗲，立刻借此立下万儿。

如不幸是广东人所说的黐脷根[1]，那真正完蛋。

可想史湘云的爱哥哥是何莉莉式的，看官切勿被脂批瞒过。

---

[1]　黐脷根：广东俗语，形容人说话口齿不清。

姐 姐

　　湘云说："我天天在家想着这些姐姐们，再没一个比宝姐姐好的，可惜我们不是一个娘养的，我但凡有这么个亲姐姐，就是没了父母，也是没妨碍的。"说着眼圈就红了。

　　湘云极爱宝钗，同她亲厚。

　　伊性格是"说她没心，她又有心，说她有心，到底话太多了"，是以并不算是个工于心计会得翻云覆雨的人物，如有宝钗照应，生活上舒畅得多。

然而不是亲姐姐，还是有许多话说不出，许多事不方便办，难怪湘云巴不得同宝钗是一个娘养的。

孤零零出来同牛鬼蛇神打仗的女性，谁没有此想，如果有个能干灵通的姐姐做主，可避却多少纰漏。

争闲气

《红楼梦》中，赵姨娘与探春母女关系叫人心酸，初读只觉赵姨娘唠叨愚鲁，简直不配做探春生母，再读又觉探春心头太高，人前人后不肯露一点点庶出的口风，实在过分，读到最后，只觉两个人都可怜复可恨。

五十五回"辱亲女愚妾争闲气"中，赵姨娘忽进来找探春说话，开口便道："这屋里的人都踩我的头去，还罢了，姑娘，你也想一想，该替我出气才是。"

六十回中探春回她道："这是什么大事，姨娘也太肯动气了!"

母女知识程度相差太远,毫无沟通,探春只想向上:"我但凡是个男人,可以出得去,我必早走了,偏我是个女孩家,一句多话也没有我说的。"她嫌生母蠢钝,生母不忿她拣高枝飞,纠缠不清。

有一等老人家专门爱惹闲气,事事都要争足面子,脸上若稍露欢容,便自觉不够矜贵,长年累月需索无穷,满腹牢骚,永无止境。

现实世界里一般还有这般不愉快的母女关系,所以《红楼梦》是永恒的一本小说,百读不厌。

不过现在女性也总算闯出来了,探春若活在今天,一般可以另立一番事业,自有一番道理。

可 惜

　　初临贵境做新官，少不免给一些下作的旧人欺侮，即使职位较低，也往往恃着他熟，他晓得厕所在哪里，他就上来了。

　　如这吴新登家的媳妇，竟想计算探春，被探春一招逼过去："你办事办老了的，还记不得，倒来难我们，你素日回你二奶奶，也现查账去，若有这个道理，凤姐姐还不算厉害，也就算是宽厚了。"

　　吴新登家的满脸通红，众媳妇们都伸舌头。

由此可知探春是办事的人才，李纨"尚德不尚才"，自然远不及她。

这样一个人，若放在今日，前途不可限量。在往日，也不过是等嫁人。

可惜可惜。

晴雯

《红楼梦》一书中，有一个问题角色，叫作晴雯。这人是个丫鬟，有三分姿色，人也聪明，做得一手好针线，她有一个毛病：心头非常之高，对现实不满，看不起同侪。

晴雯鄙视其他婢女，她没有朋友，她目中无人，心比天高，连小姐也遭她白眼。

晴雯之死是真实世界好课程：一个人总得在某个程度下与现实妥协，同环境合作，要不，你离了这巢穴，飞上高枝头，永远不要回来，要不，好好利用现有的资源，做妥每一件事。

有野心、眼角高、不满现实，也可以是一种动力，不过肯定需配合适当才能，才会引致进步。

晴雯没有把悲愤化为力量，她一直怨怼至年轻的生命结束。

香港人的强项一向是少说多做，对恶劣环境视若无睹，多点来、密点手、挥着汗，起劲地向前看，这是香港驰名国际的特色。

世上很少有都会不停繁荣向上百多年，港人不做晴雯，有不满，克服它，暂时做不到？避开它，另起炉灶，不发牢骚，不谩骂，不眼红人家。

希望港人能够维持这个良好传统。

逞强

生病生得像晴雯那样精彩，也真是少有，那蹄子是块爆炭（平儿语），脸面烧得飞红，摸上去熨手，身上也是发烧，照样发脾气，蛾眉倒竖，凤眼圆睁，要揭小丫头的皮。

宝二爷吃完酒回来，褂子烧了一个洞，屋里除出了她，没有谁会界线，于是顾不得头重身轻，满眼金星乱迸，病补雀金裘。

这样卖命，没有功劳也有苦劳吧，然而没隔多久，也是病奄奄的时候，终久让主子撵了出去。

多心的读者看熟这种故事，物伤其类，从此在工作岗位上，只动脑筋，不伤脑筋，只愿卖力，不肯卖命。

谁没有谁不行呢，雀金裘没人补，任它搁着烂掉好了。

老板不见得只得一件披肩，还有猩猩毡的哆啰呢的凫靥裘的，都没来得及穿。

生病就该好好躺着休息不必逞强了。

然而晴雯女士始终还忙着踹踏下人，奉承主子，为人可见一斑。

这样的性格，在大机构里，犯了大忌，自然有更厉害的角色来收拾了她去。无论在办公室或家庭中，爱作一柱擎天状的伙伴，例不受欢迎。

鸳鸯女

鸳鸯这个人，怎么说呢。

只知道她蜂腰削背，鸭蛋脸面，乌油头发，高高鼻子，腮上几点雀斑，聪明绝伦，且有管理科学天才，掌管老夫人全套锁匙，以致当家的琏二奶奶也要向她借当头，而正牌少爷要向她作揖，客客气气地说："姐姐，今日贵人踏贱地，有何贵干。"

伊是唯一可以在主人前端坐不动的丫鬟。鸳鸯的出身看似平常，书中透露她与袭人、茜雪、琥珀等一起进入贾府，气质异于常婢，不愿接近爷们，连宝玉都不假辞色。

凤姐说，她爹的名字叫金彩，两口子在南京看房子，哥哥金文翔，是老太太那边的买办，但，读者忍不住怀疑鸳鸯这样超脱的人才，是否可能出自小康，看过甄英莲的身世，心中有数。

当日在贾母面前发下誓言："我一把刀子抹死了也不能从命，若有造化，死在老太太之先，若没有造化，或是寻死，或是剪了头发当姑子……"

后来老太太过身，鸳鸯气数已尽，夜间，她看见秦可卿伸手招她，她步了她的后尘，求仁得仁。

每看到这里，还是禁不住战栗。她从生到死，彻头彻尾带着苍凉的美，偏偏又讽刺地，名叫鸳鸯。

鸳 鸯

《红楼梦》七十二回。

"贾琏便煞住脚笑道：'鸳鸯姐姐，今儿贵人踏贱地。'鸳鸯只坐着笑道：'来请爷奶奶的安。'"

鸳鸯见了宁府二爷，并没站起来。

再来看看别的丫鬟如何动静。三十五回宝玉伸手拉袭人笑道："你站了半日，可乏了。"

又同一回叫莺儿到怡红院打络子，莺儿不敢坐下，袭人忙端了个脚踏来，莺儿还不敢坐。

又十六回贾琏的乳母赵嬷嬷走来，贾琏凤姐忙给酒吃，令其炕上去，赵嬷嬷执意不肯……在脚踏上坐了。

众人皆不敢坐，为何独独鸳鸯敢坐，且见了爷们亦不起立。

阁下也许没有在大机构做过事，董事长的女秘书，见到小小经理，例不起立。

H_2O

《石头记》一书里刁钻女子甚多，其中佼佼者，是一个叫妙玉的年轻道姑，一日，她做了茶，请宝黛品尝，二人喝了，黛玉只说茶很轻，这样抽象形容当然不能满足妙玉，冷笑一声，指黛玉是俗人："这茶用梅花瓣上的雪所烹，我也只得半瓮，放在鬼脸青罐内，埋到梨木树泥下，自己都不舍得吃"，这番话，竟说得黛玉讪讪。

现代读者看到这里，很难不摇头叹息：罢呦，妙玉大师，你一定没有读过《儿童乐园》里小雨点故事，它告诉小朋友，地球上水分循环不息经过：太阳能蒸发海水，丢下盐分，成为蒸汽上升至云层，云不胜负荷，将水分卸下，雨水回归河水大海，水分遇冷凝成固体变冰，统统都是 H_2O，即系一个氧原子背着两个氢原子，模样可爱。

整个地球上的水分，都一模一样，没有什么曾经沧海难为水这件事，一个人如果执迷不悟地坚持，无可厚非，但也不必嘲笑他人庸俗，生活习惯去到如此疙瘩如妙玉，那真是枉凝眉，终身误。

试想想，梅花花瓣有多大，雪落下，即使停得住不跌，能有多少，弥足珍贵，但无论雪霜雾，蒸汽流水冰块，本质全部不变，这正是水伟大之处，它才不会厚此薄彼。

贰

已
成
灰

十

既来之，则安之，入乡随俗，也只得照足人家的排场，硬着头皮上，千万不要不甘心。

千元千字

读《红楼梦》多年，多多少少有点心得，于是常扯淡，骗编辑说：同你写平儿，畅论伊之性格容貌地位来历，这个女子不简单，而且整部《石头记》，极少正面谈到平儿。

然而说了良久，并没有下文。

试想想，大热天时，一手持书，另一手持笔，这么用功，难保不会汗如雨下，把线装书泡烂，得不偿失，哈哈哈哈，这么"学术性"长篇大论说一个十二金钗都没有份儿的女子，谁要看呢。

　　并不是职业撰稿人，只不过这里那里挤出一些时间，急就章匆匆赶稿，一派魂不附体状，要写平儿研究这种一本正经讲数据讲心思的文字，简直没有可能。

　　不禁撑着头想，假如稿费能到千元千字……

道 理

贾环的性格真是悲剧。

很知道自己是个爷，爱端架子，事事以宝玉为假想敌，但是庶出，当权派且甚不喜欢他母亲，也不给他面子，他又不识相，偏爱往那一堆人里挤，爱玩，又玩不起，精神痛苦，形成自卑。

过年，与丫鬟们赌钱，开头满高兴，因为赢，后来输了，就抱怨，并且赖账，宝钗的丫头莺儿十分讶异，故嘀咕："一个爷倒来唬我们的钱，宝玉明是赢，也当输给我们。"

贾环一听，立刻爆炸："我怎么能同宝玉比！"

既不能比，就不要往那个小圈子里挤，活该碰一鼻子的灰。

宜速速避开，请都不去，免得人家一两句话惹我们多心，或是我们无心之失招致别人不悦，道不同，不相为谋。

既来之，则安之，入乡随俗，也只得照足人家的排场，硬着头皮上，千万不要不甘心。

而每次读到当家的凤姐喝狗一样喝贾环母子，心中便替一个人难过，谁？探春。

这本奇书，每看一回，总学得点道理。

GOLDEN GIRL

《红楼梦》里最美丽的女孩子是薛宝琴。

看探春的话就知道："据我看怎么样，连她姐姐，并所有这些人，总不及她。"

贾母说："宝琴雪下折梅，比画儿上还好。"

众人都笑道："像老太太屋里挂的仇十洲画的艳雪图。"

宝玉说："你们成日价只说宝姐姐是绝色的人物，如今你们瞧瞧去，他这妹子。"

宝琴不但美，而且还是个 Jet-Setter[1]，专管游埠。

看薛姨妈道来："她从小儿见的世面倒多，跟着她父亲四山五岳都走遍了，这一省逛一年，明年又往那一省逛半年，所以天下十停倒走了五六停了。"

见识广了，风度气派自然不同，想来一定风流无比，难怪园中上下人等为她心折。

---

[1] Jet-Setter：直译为"喷气机常客"，引申为常乘飞机旅行的富豪。

逗笑

刘姥姥是千古第一个会凑趣儿的人，这种功夫学到百分之一，在老板跟前，已经受用不尽。

脂批说穷妪在富亲之前凌辱不计，可悲。

然而衣食不足，如何谈到荣辱，与其阿 Q 式自拍胸口说"不怕不怕"，还不如投入些来应付现实。看姥姥离开时所得的礼物，就知道受辱也有代价。

老妪三进大观园，已是八十回后事，这次为报恩而来，可见一时之辱，也并不影响一个人的风骨。

　　是以在公众场所看到现代"篾片相公"或"女篾片"，总是肃然起敬，总得有人制造笑料呀，否则位位客人都道貌岸然，那还不闷出鸟来。

境 界

看小说，读者每喜挑一人物来代入之，过其大瘾。

每次看《石头记》，最向往的人物，是智通寺（谁为智者？又谁能通？一叹！）内的龙钟老僧，且看下文，括号内为脂批。

那老僧既聋且昏（是翻过来的）齿落舌钝（是翻过来的）所答非所问……毕竟雨村还是俗眼，只识得阿凤宝玉黛玉等未觉之先，却不识得既证之后一。

且来看看，这位翻过筋斗来的仁兄，达到最高境界，

大智若愚，任凭雨村火气多大，伊还是独自煮粥，雨村便

找与他谈得拢的冷子兴去，活灵活现。

　　每次再看，总还是羡慕有人可以做到那个境界。

为她

《红楼梦》里，有个甄英莲，进了大观园，众人纷纷指指点点："就是那个为她打死人的女孩子吗？"不错，薛蟠为争着买她，打死冯渊，故同一家子避到亲戚家贾府，从此生出多少事来。

也难怪众人有好奇心。

到了廿世纪九十年代，阅报得知谁同谁为着谁打架，也还想知道那个他或她长得怎么样。

生事的到底都抓起来了，惹上官非，弄得不好，前程尽毁，这个谁，值得吗？

照片找来一看，只见长得十分普通，不过因为年轻，还算娇俏，就是为了她，两个年轻人姓名登在港闻版显著位置上，令亲友焦虑伤心。

年轻人争酒色财气，后患无穷，往往付出不知多么愚蠢的昂贵代价才学得宝贵经验，以后有谁来剥外衣，赶快连内衣也给他，还有，干脆同他说："储物室还有许多，如果合用，不妨一并取去。"

呵对，呆霸王打死了人，把甄英莲收在名下，据大观园内闲人说，才三两个月，一阵风似的，也不再放在心上，没事人一样了。

真是可惜。

舍

中文的"不舍得"三个字，简直不能翻译，我喜欢这三个字：又怜又爱又纵——

"你为什么不骂他？"

"我不舍得。"

完全是柳永式的感情，衣带渐宽终不悔，为伊消得人憔悴，因不舍得的缘故，只好吃亏受委屈。

跛脚道人向甄士隐要甄英莲："舍我罢，舍我罢。"有惊心动魄的味道。

这个"舍"字到底做何解？

许是放不开的意思，心中一股缠绵之意，驱之不去，寝食不安可奈何，只能叹口气受苦。

皆因舍不得。

故 事

　　故事是这样的：清康熙年代，太子允礽两度被废，第二次之际，他深知永无翻身之日，家眷命运必然悲惨无比，于是把已怀孕的太子妃送出宫门，交付给他老师照顾。

　　那太傅无奈，只得接了太子妃回乡，不久，妃子生下一个女婴，太傅叫她可可，谐音格格，照故事说，这可是千真万确的金枝玉叶。

　　各位看官，到这个时候，也应该惊骇地知道这可可是什么人了吧。

不久，太傅年老辞世，他家发生一场火灾，太子妃葬身火海，女孩辗转到了江南织造府，嫁予荣府第三代男孙。

她就是秦可卿。

《红楼梦》一书中可卿的身世一直谜样，传说甚多，读者只知道书中另一女子，却由民间走入皇宫，她是宝玉口里的大姐姐元春，元妃入宫不久同样不明不白辞世，可卿走出皇宫，元春走入皇宫，两女均死于非命，古代女子，命运堪怜。

《红楼梦》诸芳，无一好命，无论吞金自尽、自刎、坠井、病殁……奇是奇在统统无人追究，黑暗如此，令人发指。

人物表

墙壁上一直挂着幅《红楼梦》贾府人物系统图，真正没事做的时候，对牢背诵一番。闲时考考朋友："周琼是谁？梨香院十二个女伶叫什么名字？李绮同贾宝玉是啥关系？还有，万儿与银蝶儿是什么人的丫头？"

极有趣的一个游戏。

可惜肯下场来玩的人，比打花牌或是唱昆曲者更少。大抵太过复杂。

数一数，宝二爷一个人，就得十四名丫头服侍他，计为袭人、晴雯、麝月、碧痕、秋纹、茜雪、绮霞这几个大丫头，还有四儿、小红、佳蕙、坠儿、定儿、柳五儿、春燕等小丫头，全盛时期，芳官也在怡红院客串。

这还不止，书童也有六名，是茗烟、扫红、锄药、墨雨、双瑞、寿儿。

另仆人六名：王荣、张若锦、赵亦华、钱升、伴鹤与李贵。

加一名乳娘李嬷嬷，共廿八名下人。

说实在的，享福也享尽了。今时今日，有限公司内任何一名董事总经理如此作威作福，行政当局都会哗然起哄，请他走。

不难明白荣宁两府为何没落。

太太奶奶

宝玉是二爷，大爷是他哥哥贾珠。

贾琏也是二爷，大爷是贾珍。

太太是邢夫人，二太太是王夫人，因贾赦是贾政的兄长。

太太比奶奶要高一级，所以大奶奶是李纨，二奶奶是凤姐儿。

老太太只有一个，大老爷是贾赦，二老爷是贾政。

姨太太是宝钗之母薛姨妈。小老婆只能称姨娘。

《红楼梦》里最可怕的是几十门子的太太奶奶老爷二爷堆在一起，初读会混淆不清，糊涂得紧。

看熟了便觉一丝不乱，人物错综复杂，像惜春说："也有大伯子要收屋里人，小婶如何知道？"这大伯子便是贾赦，小婶是王夫人，屋里人指小老婆。

看二三十次之后，自然水落石出，同自己家里一般。初看也不要紧，可暂时跳过不理，切勿为之败兴。

名字

印象中，一本《石头记》大概有几十个人名字带着宝字，原来没有那么多。

宝玉、宝钗是其中两个，因是男女主角，出现次数频密，给读者上述感觉。

然后就到薛宝琴，全本小说里最漂亮的女孩子，薛姨妈的侄女，薛蟠的堂妹，薛蝌的胞妹。

下来要到宝蟾，这是薛蟠之妻夏金桂的陪嫁丫头。

又到宝官，为准备元春省亲自姑苏买来十二个女戏子之一，扮小生。

还有宝珠，秦可卿的小丫头，可卿死后，甘为义女。

才数个人而已，这几个名字没有其他含意，作者并无在上面做文章，要卖弄时，他是很有一套的，像甄英莲（真应怜），像卜固修（不顾羞），卜世仁（不是人），王仁（忘仁）……

轮到主角，便正经起来，否则就是原应叹息，假语存，真事隐。

永远有新发现，原来金钏与玉钏姓白，试想想，白玉钏与白金钏，标致之处，不下花袭人，这样古灵精怪的偏锋，往往让给丫鬟。

小姐们的名字，非四平八稳不可。

丫鬟气

大观园中丫鬟名字，跟雀鸟类有关的特别多，随便举几个例子，像莺儿、紫鹃、雪雁、春燕、鸳鸯、小鹊、绣凤等，早已不懂飞翔。

另外与昆虫有关的如银蝶儿、小蝉、小螺。

以花为名的更有莲花儿、文杏、佳蕙、玉桂，还有琥珀、珍珠、翡翠、玻璃、金钏、玉钏一大堆，没有一个正正气气的名字，活脱脱就是丫鬟相。要不就太巧妙了，像袭人、麝月、司棋、抱琴、入画、侍书。

自女孩儿命名，可见女性抬头。贾雨村也说过，林黛玉母亲闺名同伊兄弟一般，从文字旁叫贾敏，是极之难得的，如今给女儿取名字，再扭扭捏捏，就太不应该。

好书

从前，金庸不时与我们聚会，酒醉饭饱，喜做猜谜游戏，题目常常涉及《红楼梦》。这本书，大家都看得很熟嘛。

问的都像"宝玉是二爷，那么大爷是什么人""又贾琏也是二爷，大爷又是谁"之类的琐碎兴趣问题，金庸做评判。

（探春到底与宝玉是何种关系？她性格上至大缺点是什么，她为何从不快乐，倘若生在今日廿一世纪，探春如何克服出身，该怎样努力……）

　　这一家人分荣宁两府，全部是近亲，照北美法例，姨表或姑表兄妹都不能结合，于优生学也不合。

　　他们这帮年轻人，全无一技之长，也没读好书，不论男女，统统吃阿公，既无收入来源，亦从没想过找工作，只管吃喝玩乐，放肆作孽。

　　每人身后又跟着一大堆丫鬟使女书童家丁傍友，单是宝二爷，十多廿人服侍，他连洗脸穿衣都不会自己动手，真是废柴，靠山一倒，结局可想而知。

　　叫人想起英国伊丽莎白·温莎一家可是。

　　历史真是不断重演。

大观园则师

"先令匠人拆宁府芳园墙垣楼门……当日宁荣两宅，虽有一小巷界断不通，然这小巷，亦系私地，并非官道，故可以连属……全亏一个老明公，号山子野者，一一筹划起造，凡堆山凿池，起楼竖阁，种竹栽花，一应点景等事，又有山子野制度。"

诸位，如有人问起，大观园的建筑师是啥人，现在可知是这个山子野了。

伟大的建筑物后自然有伟大的建筑师，像太空馆是李先生杰作，艺术中心是何先生创举。

鼎鼎大名的大观园设计人，则是山子野。

哈，真是一丝不乱，事事交代清楚。

室内装修

因刘姥姥进大观园，读者们也跟着大开眼界，到处逛得心花怒放，最爱的便是探春的公寓秋爽斋，那室内设计，合足心意，且看：

"探春素喜阔朗，这三间屋子，并不曾隔断，当地放着一张花梨大理石大案，案上堆着各种名人法帖，并数十方宝砚，各色笔筒笔海内插得笔如松林一般，那一边放设着斗大一个汝窑花囊，插着满满一囊水晶球的白菊……左边紫檀架子上，放着一个大官窑的大盘，盘内盛着数十个娇黄玲珑大佛手……拔步床上，悬着葱绿双绣花卉草虫的纱帐。"

哗，全部间隔打通，大书桌，大床，以白、黄为主色，文雅潇洒兼有之，写得累了，往床上一倒，嗅着花香果香，这贾三小姐怎地懂得享受，羡杀后人！

时 装

等于今大型舞会，众女齐齐别苗头。

只见众姐妹都在那边，都是一色大红猩猩毡与羽毛缎的斗篷，独李宫裁（因是寡妇）穿一件青哆啰呢对襟褂子，薛宝钗是一件莲青斗纹锦上添花洋线番藕丝的鹤氅（别致不落俗套果然与众不同），林黛玉罩一件大红羽纱面，白狐皮里鹤氅（标准性格非抢镜头不可）。

一时史湘云来了，穿着大毛黑灰鼠里子大褂子（标新立异不同凡响做男装打扮），宝琴来了，披着一领斗篷，金翠辉煌，不知何物（老太太给的，这样疼宝玉，也没给他穿，长得好有意思），而邢岫烟仍是家常旧衣裳，并无有遮雪之衣（幸亏后有平儿赠衣）。

依此看来，最懂得穿的自然是宝钗，以今日标准，考究含蓄而不耀眼方是最佳选择。

而同样是亲戚家做客来的女孩儿，由宝琴与岫烟所得待遇之差距，可见园子里生活不易。

红衣女

过年，贾宝玉偷偷到花家去看袭人，后来，他同她打探："刚才那两个穿红的是谁？"

袭人连忙护着家人："我知道你在想什么，你想，她俩哪里配穿红的。"

一言道尽红衣难穿之沧桑。

穿别的颜色，总还能找到借口，红衣一上来就吸引目光，身上贴着电灯泡似的，无所遁形。

世人爱红，比玉兄有过之而无不及，每见出现红衣女，总加注目礼，穿红，大抵想有人看，不看，非礼也，为着社交礼貌，逼着上下打量。

尽管配穿红的实在不多，但还是都穿上了：酒会、晚宴、记者招待会、外展场合……本想借红色抢一抢，但遇上这无情残酷只会得锦上添花的大红，效果是令人失望得多。

大红比较适宜穿在皮子雪白眸子漆黑秀发如云的青春女身上，以毒攻毒，方能相得益彰，事半功倍。

幸亏除出红色，还有许多温柔可爱的颜色，似紫蓝，如珠灰，像乳白，都可以舒舒服服，放心地穿。

在满堂红的场合，偶遇一斯斯文文，大大方方，安安分分的蓝衣女，特别放心。

已成灰

女性们坐在一起，少不免谈谈衣料首饰的行情，交换情报、心得，且来看这一段。

《石头记》第四十回，凤姐儿开了库房，看到大板箱里好几匹银红蝉翼纱，有折枝花样，有流云卐福花样，也有百蝶穿花，她说："拿两匹出来做绵纱被，想来一定好。"

凤姐儿的太婆婆，即贾母，立刻揶揄她："呸，这个纱都不认得，它的正经名字，叫软烟罗。"

原来软烟罗，只有四个颜色，一样雨过天青，一样秋香色，一样松绿，一样银红，唉唉好比今日之开司米毛衣，一般也只做几个颜色，约莫是米、棕、灰、黑而已。

话说那银红色的软烟罗，又叫霞影纱，糊了窗屉，远看似烟雾一样，比之现今各式百叶帘及窗帘，当然有过之而无不及。

最后老太太说："白收着霉烂，若有时都拿出来送人。"

这样懂得享受的家族，一块衣料就有这么多学问，繁华不堪糜烂到这种地步，每到红处已成灰，小说中男主角后来沦落乞食贫病交迫而亡。

所以"有时常思无时难"这种句子，成为人们教训孩子的金玉良言。

奢侈

《红楼梦》里绫罗绸缎摘录。

冰鲛縠：是一种明洁如冰，有皱纹的薄纱。

哆啰呢：是一种阔幅呢料。

凤尾罗：一种织有凤尾图案，质地较稀疏的丝织品。

凫靥裘（呀这件有名的衣服）：用凫雁头上毛羽缀制成的外衣。

鹤氅：以鸟羽为原料的毛织物缝制的长大衣。

茧绸：以柞蚕丝织成的绸子。

鲛帕：薄纱制成的手帕。

金钱蟒：锦缎上绣的龙形图案，呈小团龙图案。

缂丝：即刻丝，织造时，细丝为经，彩丝为纬。

蟒缎：有四爪龙花纹图案的高级丝织品。

盘锦：用金线在丝织物上盘出图案。

掐金：一种针织工艺，缝里嵌上金线。掐金挖云，用金线掐出边线，再用其他丝织品挖出云头形做装饰。

雀金呢：用孔雀毛捻线织成的衣料。

软烟罗：轻软如烟，只有四种颜色，用来糊窗子的丝织品。

锁子锦：用金色丝线仿锁子甲花纹织成的锦缎。

——这样子穿法，活该破产？

食谱

大观园食谱一二。

风羊：将羊杀死，不煺毛，不剥皮，取出五脏，放进五香腌料、风干。

茯苓霜：茯苓研成细末和其他药物的补品。

枸杞芽儿：枸杞嫩芽，和油盐炒，味清香。

瓜仁油松瓤月饼：一种月饼，用奶油配瓜仁、松仁、青梅、桂花、蜂蜜为馅心，制作精美，酥香甜美。

桂醅：桂花美酒。

灰条菜干子：用灰灰菜腌煮晒制的干菜。

惠泉酒：惠山泉水酿制的酒，惠泉在无锡，号称天下第二泉。

火肉：火腿肉，用来做火肉白菜汤，加点虾米儿、配点青笋紫菜。

老君眉：湖南洞庭湖君山所产银针茶，香气高爽，其味甘醇，是贡品。

暹罗猪：灵柏香熏制的暹罗国进贡猪。

奶油松瓤卷酥：一种点心，用面粉、奶油、猪油配鸡蛋、松仁、芝麻仁，香酥可口，用来送热腾腾碧莹莹蒸的绿畦香稻粳米饭。

茄鲞：就是那味用十只鸡来煮完又晒干，再煮再晒的茄干。

红楼自助餐

《红楼梦》(戚本大字)四十回"史太君两宴大观园,金鸳鸯三宣牙牌令"中有这样的形容:

宝玉说道:既没有外客,吃的东西,也别定了样数,谁平日爱吃的,拣样儿做几样,也不要按桌席,每人跟前摆一张高几,各人爱吃的东西一两样,再一个什锦攒心盒子、自斟壶,岂不别致……

贾母听了,说很是,明日就拣我们爱吃的东西做了,按着人数,再装了盒子……

看官，这种吃法，就是今日的自助餐了。

看《红楼梦》，常常看出这类心得来，越发觉得趣味无穷，乐在其中。

年轻的朋友们请别让老学究吓住，这是一本顶顶好看的书，极易上手。

技巧

不是故事的本身，而是怎么样说这个故事。

电视剧安排死三五个人，观众已经不耐烦，那是因为说故事的技巧太差。

说得好的话，大家但觉得天经地义，顺理成章，活该如此；况且，人物到了那个关口，再也没有活下去的道理。

死得人最多的一本书，并不是任何一部武侠小说，而是鼎鼎大名的《红楼梦》。死的，且都是妙龄女性，全死在一间大宅里，照说，再乏味枯燥不过，再变不出花样来，但因为写得好，荡气回肠，赚人热泪。

一开头是秦可卿死得神秘，再轮到金钏儿死得冤枉，晴雯到死担着虚名，尤二姐死得不值，三姐儿死得刚烈，司棋以死抗议，鸳鸯求仁得仁，甄英莲一生命苦，元春及迎春死亡以暗场交代，王熙凤鞠躬尽瘁，最后，林黛玉含恨而去，成为千古佳话。

却从来没有读者觉得死人太多不好看的。

生老病死爱原是生活中最常见事，也当然是说故事人常用的元素。

情节需要细心安排，男女主角明明没有走在一起的原因，怎可忽然勉强他俩疯狂恋爱，凡事有个伏线，死亡也一样。

自尽

古时女人兴作悬梁自尽。

也许衣裳里的带子佩件特多，一不高兴，或是爹爹逼她嫁个不喜欢的男人，或是病得不耐烦了，反正家中屋梁要多少有多少，套个圈圈，脖子伸进去，把小凳子踢掉，大功告成——反正死了也可以回来的，鸳鸯、秦可卿，有事没事环佩叮当地走过来向人招手，幽暗的大厅，隐隐约约，神秘性的美，无限的吸引，不是美人，恐怕还不能悬梁呢。

她们总有很多不能告人之事，那便是明志的快捷方式。

单是一本《红楼梦》中，告诉你多少女人自寻解决的方式，以悬梁最为普遍。

大机构

《红楼梦》活脱脱是一幅大机构风情画。

贾母是董事；贾赦贾政是大老板；王熙凤升得快，年轻掌权；黛玉自扬州林家带了银子来入股，不幸被贾琏夫妇并吞；湘云闲话太多，不得宠；宝钗恃着皇亲国戚，平步青云；宝二爷不思上进，标准的纨绔子弟，他那一份怕早已吃空。

这几位都是行政级人马，有权话事。

以下就是马仔级：袭人、晴雯、麝月、紫鹃，以及那边的司棋、入画，莫不极工心计，天天斗个你死我活。

　　更下一层还有小红、豆官、芳官这些，一有蹿上的机会便争得焦头烂额，个个都见高拜，见低踩，一有事便卸膊，一问摇头三不知，找宝玉来背锅……太精彩了。

兜着走

一直劝下属要对上司尊敬，不能因他良善不出声而欺上，且听平儿说来：

"你们太闹得不像了。他不肯发威动怒，这是他尊重，你们就藐视欺负他，果然招他动了大怒，不过说他一个粗糙就完了，你们就现吃不了的亏。"

真的，人家做得到那个高的位，自有他的道理，他的本事，不必在手下面前展露，性子好，更是他最大优点，偏偏有些下属一见这样，柿子拣软的掐，就作威作福起来，太不懂事。

　　况且涵养越好的人，城府也越深，更不容轻视，加倍

小心才是，免得一旦发作起来，吃不了兜着走。

英才

老板喜欢怎么样的人？当然是能做的，且又不诉苦的人。所谓恃宠生骄，是对旁人而言，在老板面前，必须永远诚惶诚恐。

不信？请齐齐来看《红楼梦》第七十一回。话说凤姐儿受了她婆婆邢氏的气，哭了一场，被鸳鸯瞥见，叫贾母也看，在老板面前，凤姐儿笑道："谁敢给我气受，便受了气，老太太好日子，我也不敢哭。"

随后琥珀弄清楚之后，转告原委，贾母道："这才是凤丫头知礼处……大太太明是当着人，给凤姐儿没脸罢了。"

其实伙计受些什么委屈，老板都知道，懂事的伙计必须为顾大局而死挺，动不动向老板诉苦，令上头人难做（替阁下出气，像是受下属唆摆，不动声色，又像是这点能耐都没有似的），迟早失宠，打入冷宫，所以动不动炸起来的那些，始终是打手一号。

难 养

"龄官自为此二出原非本角之戏，执意不作，定要作《相约》《相骂》二出。"在这以下，有一段非常长的脂批：

俗语云：宁养千军，不养一戏，盖甚言优伶之不可养之意也。大抵一班之中此一人技业稍出众，此一人则拿腔作势、辖众恃能，种种可恶，使主人逐之不舍责之不可，虽欲不怜而实不能不怜，虽欲不爱而实不能不爱。余历梨园弟子广矣，个个皆然，亦曾与惯养梨园诸世家兄弟谈议及此：众皆知其事而皆不能言……

大抵今日电影及电视公司老板会得举双手赞成，蹿红的明星跳起草裙舞来，诸多做作，冷藏伊不是，不与之续约又不是。

自古至今，一个师傅落场，动不动还表演失踪，甚至签了合同不算数，难养！

叁

到头一梦

十

人性，真的数千年如一日。

咱们家

林黛玉不可爱是事实，饱受歧视也是事实。

六十二回说生日。探春笑道："过了灯节，就是老太太和宝姐姐，他们娘儿两个遇的巧……二月没人。"袭人道："二月十二是林姑娘，怎么没人，就只不是咱家的人。"

探春与袭人素日再聪明伶俐，这下子露了口风，什么叫"不是咱家的人"？为何宝钗明明姓薛，却与贾母算是"娘儿俩"？

让咱们来好好算一算。林黛玉是贾敏之女，贾太君的嫡亲外孙女儿。薛宝钗只是贾太君媳妇王夫人之姐之女，明眼人来瞧瞧谁才不是咱们家的人。

园内众人为何如此势利，说穿了不过是碍着王夫人与王熙凤，前者是宝钗的姨妈，后者是宝钗表姐，硬里子撑腰，特别不同。王氏方是贾府大权在握之人，信焉。

政　治

　　一般《红楼梦》考证者，喜欢把宝黛喻作反封建的先烈，而宝钗袭人之类，则自甘堕落，不可救药。

　　实在不敢赞同。

　　哪有那么厉害。整个《红楼梦》故事，以在下看来，乃是王夫人在贾氏家族中巩固一己势力的过程。

　　王熙凤嫁到贾府没上三年就当家。没有王夫人出面担保这内侄女，凤哥儿如何站得住脚，凤辣子当初如何嫁予贾琏？谁的主意？

薛姨妈真凑巧搬入大观园？带着宝钗，偏偏有金去配二爷的玉？老姐姐跟老妹妹说一句金玉良缘，切记带枚金锁进来以圆此说，有没有可能？

到时宁府有内侄女，荣府有外甥女，哎呀不得了，太君过世，政归王氏。

是以黛玉性格再平和可爱，绝无可能嫁给贾宝玉，这是政治性关键。

宝玉与黛玉的婚事

宝玉与黛玉不能成婚，我认为是王夫人的主意。

大机构与大家庭中，总有红脸与白脸这两个角色的存在，串通了演把戏。这次贾母做的是白脸，王熙凤做的是红脸，王夫人坐享其成。

王夫人喜欢宝钗而不喜欢黛玉，理由实在简单：中国老式妇女总有提携娘家的潜意识，觉得娘家的血液浸入夫家越多，她们的地位越巩固。

贾政与贾敏是两兄妹，贾敏嫁与林如海，生下黛玉，黛玉只是王夫人小姑的女儿，黛玉叫王夫人舅母。黛玉与王夫人实则上没有什么血缘关系，只是姻亲。

王夫人有习惯拉扯娘家的人，书中没提起王熙凤如何嫁给贾琏，情由可想而知，因此不但宝玉体内有一半王氏的血，那边宁府大姐儿也有王家血液。

王熙凤既是王夫人的内侄女，薛宝钗自然亲一分，是王熙凤的姑表妹，王夫人放着亲妹子的女儿不去提拔，巴巴地拉拢外头人做甚，没这个情理，故此宝玉那"神仙似的妹妹"就被牺牲掉了。

黛玉这人真天真得糊涂，往往垂泪跟宝钗说心事："你还有妈妈与哥哥……"宝钗岂止有母有兄，她还有当家的表姐，具威势的姨母，宝钗愁啥？

"东海缺少白玉床，龙王来请金陵王"，金陵王是她外祖父，宝钗闲了便请诸人吃大闸蟹，一顿酒席吃掉乡下人一年的粮，难怪人人称"宝姑娘"而不是"薛姑娘"，大势早已铁定，可怜黛玉除出吟诗作对外，什么也不通。

人为

贾太君从没提过要将黛玉配与宝玉。

张道士做媒，贾母道："上回有个和尚说了，这孩子命里不该早娶；你可如今也打听着。"并没有拒绝。

及至见了薛宝琴，老太太惊为天人，细问她年庚八字，大约要与宝玉求配。

也难怪黛玉要忐忑不安。

打趣的人一箩箩，凤姐说："你吃了我家的茶，几时嫁给我家的人？"薛姨妈扯谈，说得紫鹃信以为真："姨太太有这个意思，何不向老太太说去？"

从来没有人正经提过一次。照说黛玉八岁进贾府，至十五岁殁，足与宝玉纠缠这些年，可见众人都不理此事，而老太太，太太，都实在不属意黛玉。

人为悲剧。

做女人真要活在现代，爱谁嫁谁。

这里不好玩

读《红楼梦》，印象最深刻的是以下一节：过年，贾环跑到怡红院与丫鬟赌钱，输了，不认账，与她们吵将起来，被宝玉听见，便劝他："这些丫鬟像小狗小猫，你喜欢呢，与她们玩一阵子，不喜欢就走开，没什么好吵的。你好歹是个爷。"又说："你来这里，原是为着好玩，不好玩，便往别处去，你也太会生气了。"讲完，宝玉给贾环几吊钱，叫他往别处。

读者不禁肃然起敬，这许是宝二爷一生唯一说过的明白话，不可小觑，理当学习。

何必激动、发怒、拌嘴：这里不好玩，走为上着，立刻往别处。

譬如说这一年一度书展好比嘉年华，炎暑里少年有个好去处是多么庆幸，长辈们如出席，心情应如游迪士尼，不管喜欢与否，气氛那样热闹已经有趣，遇到不愉快事件，大可一笑置之。

延伸出去，更可怕紧张的关系如宾主、夫妇、朋友……均可做如是解，不好玩，立即往别处去，说什么我是你非，没什么好生气的，更不可与小孩子一般见识。

卫兄曾赠我一颗闲章，叫"尽其本步游于自得之场"，就是那样。

高处

大观园诸芳，别的本事没有，最会叽喳，嘴巴不停喈喈，而且都认为受了无限委屈，我是人非，苦到极限，王夫人说："一看……聪明全露在外边。"便是她们从不想过更正的缺点。

一日，大丫头晴雯说了小丫头小红几句，小红反驳，晴雯这样讽刺她："哟，是什么把你喂得这么大，鸟儿拣高枝飞，一辈子别下来才好。"其实这话不偏不倚正好说中晴雯自身。

别下来才好。

真是惊世恒言，那么，有机会，还往不往上走？地下闷热枯燥，无风景无趣味，有机会向上，还是得登山。

不过，话就别那么多了。

友人一向不表示意见，找他说话最无趣，不是"我看仔细些才讲"，就是，"我不在现场，我不清楚"，不扮聪明，也不装蠢，恰到好处。

聪明，留在工作上用吧，比较幸运的现代女性，大都有一份职业，可别保留大小丫鬟性格，同事之间一人少一句最妥当。

终生之好

得了一套戚本大字《石头记》，爱不释手。

这是我拥有的，唯一有标点（句）的《红楼梦》本子。

早说过一生人只有兴趣看五套书：《红楼梦》、鲁迅、张爱玲、金庸、卫斯理。中学毕业后没有看过洋文小说，马尔斯 [1] 与我何尤哉。

等"看完"《红楼梦》再说吧，近日稍有心情，又自

---

[1]　马尔斯：此处疑为加西亚·马尔克斯（García Márquez），哥伦比亚作家，《百年孤独》的作者。

五十回开始温到八十回，益发发觉这是一本穷其一生无法看得完的书，精彩之处，年年叫读者拍案叫绝，既然如此，何必贪多嚼不烂，你们管你们时髦地捧诺贝尔，在下多年如一日，看《石头记》。

戚本尺寸玲珑，躺床上读尤其舒服。

无懈可击

　　演员罗兰士奥利花[1]形容《王子复仇记》一剧："在我看来，全剧无懈可击，是古今最伟大的作品，每次读一句台词都可能有新的心得，一遍又一遍仍不能尽得其妙。它能把你领到转弯处或死胡同，把你抛到不知多远。能使你有说不出喜悦的刹那，也能令你不知多么忧伤。它已经缠上了我。"

---

　　[1]　罗兰士奥利花：又译为劳伦斯·奥利弗（Laurence Olivier），英国导演、制片人、演员。

说得真好。

《红楼梦》的读者亦有同感。

被缠上了，放不下手，也就是一辈子的事，永远心牵挂，稍微有空，便去翻阅，可恨每次都获得新意，大吃一惊：为什么上次看，没看出其中诀窍？心有不忿，继续努力。

等于写小说，就因为写得坏，才想下一篇有丁点进步，带着悲恸之心，不停执笔。

还在看《红楼梦》？当然，因为还没有看完。

还继续写稿？当然，因为代表作尚无着落。凡事都要有始有终。

数十年如一日，反正没有其他嗜好，香茗一杯、沙发一张，吁口气，趁着这奈何天，伤怀日，寂寞时，翻开那怀金悼玉的《红楼梦》。

新 意

我总是看不完《红楼梦》。

每次看总有新意，每次看不完。

它的老庄，渐渐变得这样明显。

宝玉道："哭什么？这里不好，到别处玩去。你天天念书，倒念糊涂了。譬如这件东西不好，横竖那一件好，就舍了这件取那件。难道你守着这件东西哭会子就好了不成？你原是要取乐儿，倒招的自己烦恼。"

这样的几句话，使我呆很久。

这是很应用的文章，熟读了可以把一切对付过去，还有什么金玉良言呢。

当人家问起我有否看谁跟谁的著名作品，我就愁眉苦脸地答：我连《红楼梦》还没有看完，还能开始翻什么新的书啊？

到头一梦

过年了，过完年了。

我的人生观是做人在任何情况之下，皆无有乐，不外是既来之则安之。

且听《石头记》中二仙师对石头所说有关红尘中一二事："那红尘中却有些乐事，但不能永远依持，况又有'美中不足，好事多磨'八个字紧相连属，瞬息间则又乐极悲生，人非物换，究竟是到头一梦，万境归空。"

诗曰：浮生着甚苦奔忙？盛席华筵终散场。悲喜千般同幻渺，古今一梦尽荒唐。

你瞧，多剔透。

《红楼梦》

MY 说："此君总看过《红楼梦》吧。"

立刻肯定地答："保证没看过。"否则故事情节与对白一定写得好得多。

一般人不看《红楼梦》不要紧，写小说的人不看《红楼梦》则是一种损失，基本小说又都自此书学来，起承转合、人物出场、众人说白、性格转变，统统是实例，活学活用，其味无穷。

人情世故，百年如出一辙，你所想知道的，《红楼梦》

一书都可以告诉你。

是一本小说作者必读的教科书，越看得多，得益程度也越深，因为每次重读，还是能找到新发现，一日忽然发觉整本书会背，更加好随时应用。

谁看过，谁没有看过，一目了然，无须解释，因为熟读《红楼梦》《水浒传》之人，文字总会露出端倪。

而该君绝对一次都没有看过。

不过，只要当事人觉得常识够用，也就是够用啦，无所谓，许多行家觉得宣传重要过基本功，也不能说不对，正是，喜欢写的大可慢慢写，爱偏锋的尽管出风头，正是这文坛至自由可爱之处。

读书

南生好强，说到《红楼梦》，她认为看书不一定是要熟，正像朋友不一定要认识三百年，这是年轻人的想法。

而《红楼梦》这本书是很奇怪的，读得熟不一定有什么心得，但是读得不够熟肯定毫无见解。

《红楼梦》绝对不是"侬今葬花人笑痴，他年葬侬知是谁"这么简单，这个嘛，连三姑六婆也懂得的。

有很多事快不起来，不能心急。

看莎士比亚，有蓝勃兄妹的速成本；看《红楼梦》，毫无捷径，一次又一次地读，非得真正地喜欢，然后视各人的天资而定能得到多少。

放不下

熟读《红楼梦》的人，大抵没有放不下这个问题，再多看几遍，也许连提都不会提起，故此，也根本不必放下。

通书都教人看开，放下，图个自在，并且对恋恋风尘的人诸般讽刺，称他们作痴儿。

最精彩的自然是《好了歌》，彻底之至，并没有给读者留下什么想象力："世人都晓神仙好，惟有功名忘不了！古今将相在何方？荒冢一堆草没了。"

含蓄一点的则有"乱烘烘你方唱罢我登场，反认他乡是故乡"之叹，消极警世，读之令人扼腕三叹的有"身后有余忘缩手，眼前无路想回头"，把人性的贪嗔痴描绘得淋漓尽致。

讲得难听点，我们都一无所有地来，什么都是现赚现花，够用就算了，到了适当的时候，一定要放过自己，退到高爽风凉之地，舒舒服服，看看风景。

不必再争意气，过去那三十年，倘若还未能证明自己，相信这几年也没有什么可证，一个快乐健康的人，事业何用登峰造极。

可是，若干人就是不放过自己，非要逼着自己钻牛角尖不可，真想推荐他看柳湘莲出家一段："我不过暂来歇脚而已"。

幽默感

一直认为，小说读者，必定要有若干程度幽默感。

情节感动你、对白激起共鸣、主角的遭遇叫人慨叹，一直看至完场，已经是好小说。

其余不必细究，小说全属虚构，而且小说是小说，与大道理不同，看小说主要讲享受、娱乐，学不学得到真理智慧，尚属其次。

小说读者切忌板着面孔训曰：第九章第六节那件小事，通吗？又第三百五十页第四段中那些摆设那件衣饰，真有可能在现实世界找到吗？

小说最好看之处，乃系在情理之中出人意表：举个例，《红楼梦》第五回，宝玉来到可卿房中，只见案上设着武则天镜室中宝镜，一边摆着飞燕立着舞过的金盘，盘内盛着安禄山掷过伤了太真乳的木瓜……

难道我们做读者的还实时站起来斥责道："咄！混说，一只木瓜如何自唐朝直摆到清朝？"况且，红楼梦的作者又几时说过故事背景设在什么朝代？

好看？已经足够，于情理不合的故事很难看得下去，有所启发的小说已是一级小说，其余的小瑕疵，也许只是作者嬉戏人间，一时活泼的戏言。

过分认真的读者，不如改看新闻版。

评

宝钗说湘云："说你没心却有心，虽然有心，到底嘴太直了。"这大概便是《红楼梦》是《红楼梦》的缘故，真正再也没有几句话把一个人的性格形容得更贴切的。

报上有一位先生曾天天谈《红楼梦》里的男女关系，范围窄，趣味却浓，于是引起了兴致，他说到哪儿，我翻到哪儿——倒也不能说他没有七分道理。

某年暑期，一本叫《武侠与历史》的杂志曾连载数回今人评的《红楼梦》，竟没留意作者是谁，真是精彩绝伦，廿七回"滴翠亭杨妃戏彩蝶",一句句地都盯着薛宝钗,见解独到且正确,事隔十年,每逢看到这一回,还记得清楚,只可惜杂志已丢了,不能再读。

什么玩意儿

《红楼梦》里一句轻蔑话:"什么阿物儿!"

看是看熟了,始终不知源起何处。

又说"什么爱物儿",原来就是阿物儿的谐音,举例:刘姥姥看到西洋挂钟当当乱响,便嘀咕问:这是什么爱物儿?

到了刁钻的丫鬟嘴里,变成爱八哥儿,本指可爱的东西,现做反语,是"爱不够儿"的音转,真正刻薄,活龙活现。

又说"爱巴物儿",邢夫人见傻大姐拿着香袋翻来覆去观赏,便说:"又得了什么爱巴物儿,这样喜欢。"新校本中,也作"狗不识儿"。

译作白话文,统统是玩意儿。

都是用来挖苦人的。

可见园子里众人习惯用这种口气说话,都是从鼻子里哼出来的腔调,生活不好过。

连袭人都受抢白,李嬷嬷说:"你们看袭人不知怎样,那是我手里调理出来的毛丫头,什么阿物儿!"

那自然,她出色了,一定少不了从前栽培过她、于她有恩的人出来认这个认那个。

读者忍不住会心微笑。

揶 揄

大观园里边诸君，揶揄起人来，真正不留余地。

随便举几个例："羊群里跑出骆驼来了，就只你大"，这句歇后语，比喻在水平不高的人中间表现自己，其实统统是龙套，正主才不屑在那人圈子兜搭。

又鸳鸯道："这个娼妇，专管是个九国贩骆驼的"，指到处兜揽生意，钻营图利的人，芝麻绿豆一点点小便宜，削尖了头皮去钻，次次得不偿失，犹自沾沾自喜。

又"丈八的灯台，照见人家，照不见自家"，意指看得见别人的错处，看不见自己的错处。

"没吃过猪肉，也看见过猪跑"，即使没有亲身经历，也看别人做过，应该对情况有所了解，言语举止不该太过老土。

宝钗道："幸于始者怠于终，善其辞者嗜其利"，开头因侥幸获利而兴头很高的人，最终会得懈怠，嘴上说得好听的人，特别爱占便宜。

藐视人时说的话："跷跷脚，比你的头还高呢"，小心，小心，别乱得罪了人。

还有至至精彩的"提着影戏人子上场，好歹别戳破这层纸儿"，影戏人子是皮影戏道具，戳破纸幕，秘密暴露，戏演不下去，千万留个面子，不要揭穿人家隐秘。

一 题 数 写

数人合写一个题目的专栏，也并不是今日才有的，只不过目前出版事业发达，文字过几日便刊登在专栏上供读者阅读而已。

话说一日大观园内组织诗社，李纨做起社长来，各人为了做文章，也都挖空心思取了笔名，所谓怡红公子、蘅芜君、潇湘妃子等就是了。

刚刚有人抬了两盆白海棠进来，见是好花，便咏将起来。

于是一题数写的文字游戏便宣告开始，彼时大观园内的明星作家是黛玉与宝钗，余者不必理会。

且来看宝钗写些什么，她说："淡极始知花更艳"，可见是个低调主义者，接着两句："愁多焉得玉无痕。欲偿白帝凭清洁……"脂批这样赞道：看她讽刺宝黛二人，收到自身是何等身份。

原来咏海棠也不忘批评行家，真正有趣可爱。

且来看黛玉写些什么，开头这两句就风流别致："偷来梨蕊三分白，借得梅花一缕魂。"哗，如此才情，生在今日，稿费版税肯定大赚特赚。

这次文字比赛，社长给宝钗得了第一名，因为含蓄浑厚之故。

无人

大观园里一来文绉绉的玩意儿，老粗读者，等级与刘姥姥不相上下的，就一头雾水，恨爹娘不给一副聪明脑袋。

五十回大伙儿猜灯谜。

李纨笑道："观音未有世家传，打《四书》一句。"

湘云接着说："就是在止于至善。"

宝钗笑道："你也想一想'世家传'的意思再猜。"

黛玉笑道："哦，是了，是'虽善无征'。"

看，谜底谜面都在，就是不明所以然！

又六十二回行酒令，玩"射覆"，探春覆了一个"人"字，宝钗道："这个'人'字泛得很。"

探春笑道："添一字，两覆一射也不泛了。"

便又说了一个"窗"字。

宝钗一想，因见席上有鸡，便射着用"鸡窗""鸡人"两典了，因射了一个"埘"字，探春知他用了"鸡栖于埘"的典。

解释得这么清楚，仍看不明白。

恨只恨世人只会得教训批评人，却不肯教人看《红楼梦》。

曲 词

做，因为天分所限，心高手低，没奈何。

看，却一定要挑同类型里面最好的，吸收精华。

曲词，无与伦比者，自然是警幻仙子那新制《红楼梦》十二支。

作者骄傲地点出：此曲不比尘世中所填传奇之曲，必有生旦净末之别，又有南北九宫之限，此或咏叹一人，或感怀一事，偶成一曲，即可谱入管弦。

十二支曲子几乎包含两性间一切可以想象得到的悲欢

离合，根本就是一百二十回《石头记》的大纲要旨，实令读者销魂醉魄，不能自已。

试举例第二支《终身误》，奇是奇在误了终身的乃指怡红公子，并非哪一位弱质女流，可见女性地位在作者心胸中何等高超。

脂评谓"语句泼撒，不负自创北曲"："都道是金玉良缘，俺只念木石前盟。空对着，山中高士晶莹雪；终不忘，世外仙姝寂寞林。叹人间，美中不足今方信。纵然是齐眉举案，到底意难平。"

单自这一支曲里，就不知可以化出多少故事来，题目叫《得不到的乃是最好的》。十二支曲，不多不少，总共可以叫人看一辈子。

标 点

　　将那三春看破　桃红柳绿待如何　把这韶华打灭　觅那清淡天和　说什么　天上夭桃盛　云中杏蕊多　到头来　谁见把秋捱过　则看那　白杨村里人呜咽　青枫林下鬼吟哦　更兼着　连天衰草遮坟墓　这的是　昨贫今富人劳碌　春荣秋谢花折磨　似这般　生关死劫谁能躲　闻说道　西方宝树唤婆娑　上结着长生果

　　这样的曲子，如果加上"；！，。——，"就没有味道了，非得空一个格子不可。

我跟一位蔡老先生说："为什么《红楼梦》要加标点呢？手抄本就有意思得多，且也看得懂，很顺服。"

老先生说："但是也有些古书，非标点再花一百年也难明的。"

标点也大概是因文而施的。

好词

绍兴戏《红楼梦》里的作词，简直天下第一流，我与西西，大概全本会背。

其中好的句子，拣来就是。

像"天缺一块有女娲，心缺一角难再补"这样的，找个会写字的人，书一副对联，挂在书房中，也不以为过。

西西比较欣赏"哭灵"一段宝玉不停的追究："问紫鹃：妹妹的诗稿今何在？问紫鹃：妹妹的瑶琴今何在？问紫鹃：妹妹的花锄今何在？问紫鹃：妹妹的鹦哥今何

在?"问这么多下,确是心碎。

至于紫鹃说的:"姑娘呀你能有多少泪珠儿,怎禁得秋流到冬,春流到夏?"这还不算,这是书中原有的。

反正如此的歌词,才算歌词。

为什么一直固执绍兴戏是女人看的呢?

凡是好东西,人人看得。

后四十回

百多年来，相信每个读者最大的遗憾，就是看不到最后四十回。

发生了什么？

有的说，根本没有完成，作者已经贫病交煎而逝。又有人说，写是写好了的，搁在书桌上，因寡妇无钱买锡箔，把字纸折成元宝，一把火，烧掉了那正是后四十回。

少年时，非常不满意这位无知妇人，怪她把万古流芳的文学著作烧成灰烬，令后世无数读者失望。

后来就渐渐明白，她的一生，比谁都不好过。丈夫是永远活在过去的人，黑暗里，鬼影幢幢，全是旧时的晶莹雪与寂寞林，十年来，他伏案不住写一本书，改了又改，辛苦不比寻常，却没有改善生活。

幼儿因病夭折，不多久，他也相随而去，只剩下她独受煎熬，凄苦悲伤之下，莫说不知道这百多回著作有什么好处，就算晓得，又怎么样，假使它不能为生前的他带来益处，他死后更加无用。

世世代代的推崇尊敬赞叹，作者并享受不到，他付出的代价，却是后半生的精血。

那本书传不传世，与寡妇何干。

倾 倒

　　《红楼梦》后四十回失传之后，猜猜有多少人试图续过。

　　值得注意的是，原著在一七五四年面世，所有续稿，在一七九九年，即半个世纪后，纷纷出笼，由此可知这本著作流行的势道是何等强劲。

　　计有《后红楼梦》，清乾、嘉年间逍遥子撰。

　　《红楼续梦》，嘉庆四年秦子忱撰。

　　《绮楼重梦》，嘉庆四年兰皋主人撰。

《红楼复梦》，嘉庆十年，红香阁小与山樵南阳化氏著。

《续红楼梦》，嘉庆十年，由海圃主人撰。

《红楼圆梦》，嘉庆十九年梦梦先生撰。

《红楼梦补》，嘉庆二十四年，归锄子撰。

《补红楼梦》，嘉庆二十五年娜嬛山樵撰。

《红楼幻梦》，道光二十三年花月痴人撰。

《红楼梦影》，光绪三年云槎外史撰。

《太虚幻境》，光绪三十三年惜花主人撰。

《新石头记》，宣统元年南武野蛮撰。

简直找到了生路，每隔几年就有人把曹氏的题材折腾一下，再赚一次稿费，难怪只敢用古灵精怪的笔名。

整个清朝为一部小说倾倒，到了民国五年，颍川秋水写了《红楼残梦》，陆陆续续，仍有人写了《木石缘》《宝黛因缘》《红楼之梦》《红楼真梦》……

甲戌本

甲戌本那十六回《红楼梦》是脂批最多的一部《红楼梦》，一七五四年已经存在，一九二七年，由胡适收买，过程十分传奇。

当年胡氏从海外归来，接着一封信，说有一本抄本《脂砚斋重评石头记》愿让给他。

胡氏以为"重评"的《石头记》大概没有价值，当时竟没有回信。

不久，新月书店的广告出来了，藏书的人把此书送到店里，转交给胡氏，他看了一遍，深信此本是海内最古的《石头记》抄本，就出了重价把此书买了。

胡氏说："得到这部世间最古的写本的时候，我就注意到首页前三行的下面撕去了一块纸，这是有意隐没这部抄本从谁家出来的踪迹，所以毁去了最后收藏人的印章，我当时太疏忽，没有记下卖书人的姓名地址，没有和他通信，所以我完全不知道这部书在那最近几十年里的历史，我只知道这十六回写本在九十多年前是北京藏书世家刘铨福的藏书。"

一手传一手，普通人哪里看得到。

真不得不感激那些将祖上文物随意转卖的不肖子孙了，没有他们，传家宝世世代代锁在仓库，永不见光，简直就是读者的损失。

多谢他们把甲戌本扔出来换钱。

脂批

脂批真正好看。

甲戌本虽然只有十六回，但批得最多最密，且用朱笔，读起来好像看两本书似的，又像有个老师在旁，切切地指引如何看《红楼梦》，滋味无穷。

戚本存八十回正文，附有双行夹批，回前回后批，唯无眉批，也令读者满足，看起来特别舒服，比甲戌本理想的是，它有标点，每句断开，适合初看者。

手头上还有套庚辰本，批得不多，也就不大翻阅。倘若没有脂批，黑压压一本古典名著，真不知从何下手，慌张起来，也许就失去兴趣。

老脂当然是老曹的知己，一边批一边赞，老实说，有时候，不是不肉麻的，偏偏他又能看出其中精髓，批到骨子里去：风趣、刻薄、嗟叹、感慨、喜悦。注解，一条一条，都值得再三回味。

最重要的一点是，脂批在有意无意间，道出写文章的要旨，解释曹氏一支笔的起承转合，明写暗喻，煞是精彩。可能没有一本书的版本多过《石头记》，许多学者收藏研究，穷一生之力研究比较。

这书也适合做一般性阅读，因为第一回一开始，作者便点明它"或可适趣解闷"。

弊

《红楼梦》这书是不能看的，尤其不能看脂砚斋这人评过的那几回。

这人万念俱灰，再乐儿的事，他也看得出凄凉，刘姥姥一进大观园是多么有趣的一回，他却拼命地注夹批："可怜可叹""为财势一哭""投亲靠友者齐来观之"。

这么一来，读者就哑然，顿时缩在房间中三数日不敢出门，电话也不好打一个，益觉做人没趣味，要明哲保身谈何容易。

　　若读惯了《红楼梦》，书中一字一句皆成为座右铭，那真是倒了十八辈子的霉，捡到金子也还是"终朝只恨聚无多，及到多时眼闭了"，这真是怎么办好，所以这书该列入毒草类，儿童成人男女皆不宜读，看得出什么好处来？有百弊而无一利。

同行敌国

曹雪芹谈他那个时代的流行小说，借石头之嘴说出来。

"今之人，贫者，日为衣食所累，富者，又怀不足之心，那里有工夫去看那理治之书，爱看适趣闲文者特多。"

"那些胡牵乱扯忽离忽遇，满纸才人淑女，子建文君，红娘小玉，通共熟套之旧稿。"

"更有一种风月笔墨，其淫秽污臭，涂毒笔墨，坏人子弟，不可胜数。"

"佳人才子等书，则又千部共出一套，不过作者要写出自己的那两首情诗艳赋来，剧中小丑环婢，开口即之乎者也，自相矛盾、不近情理。"

哗，弹至一文不值。

可见同行如敌国这话一点错不了。

完了他还没忘记称赞自己的作品："我不借此套（指历来野史），反倒新奇别致。"

又说："竟不如我半世亲睹亲闻的这几个女子……实非别书之可比。"

看到此地，捏一把汗，批评完行家，又大力自吹，可见艺高人胆大。

而人性，真的数千年如一日。

——全书完——

图书在版编目（CIP）数据

红楼梦里人 / 亦舒著 . —长沙：湖南文艺出版社，2018.1
ISBN 978-7-5404-8259-6

Ⅰ. ①红… Ⅱ. ①亦… Ⅲ. ①散文集—中国—当代 Ⅳ. ① I267

中国版本图书馆 CIP 数据核字（2017）第 187188 号

上架建议：畅销·散文集

HONGLOUMENG LI REN
红楼梦里人

作　　者：亦　舒
出 版 人：曾赛丰
责任编辑：薛　健　刘诗哲
监　　制：毛闽峰　赵　萌　李　娜
特约监制：刘　霁　郑中莉
策划编辑：李　颖　谢晓梅　张丛丛　杨　祎
文案编辑：吕　晴
营销编辑：贾竹婷　雷清清　刘　珣
封面设计：利　锐
版式设计：李　洁
出版发行：湖南文艺出版社
　　　　　（长沙市雨花区东二环一段 508 号　邮编：410014）
网　　址：www.hnwy.net
印　　刷：北京鹏润伟业印刷有限公司
经　　销：新华书店
开　　本：775mm×1120mm　1/32
字　　数：75 千字
印　　张：5.5
版　　次：2018 年 1 月第 1 版
印　　次：2018 年 1 月第 1 次印刷
书　　号：ISBN 978-7-5404-8259-6
定　　价：42.80 元